Bracelets & bijoux Shamballa

Christine Hooghe
Photographies : Thierry Antablian

FLEURUS
www.fleuruseditions.com

Sommaire

Il vous faut...

Matériel de base

Pour réaliser des bracelets shamballa, seuls des outils courants et un support pour fixer le travail sont nécessaires.

- Support : un couvercle rectangulaire en plastique de boîte de rangement 24 x 26 cm environ ou un carton rigide ou un porte-bloc.
- 2 pinces à dessin ou pour le petit bricolage.
- Mètre de couturière.
- Ciseaux.
- Papier et crayon.
- Ruban adhésif.
- Briquet pour stopper les fils de Nylon.
- Colle à bijoux pour stopper les fils en fibres naturelles. Un vernis à ongles transparent peut être utile aussi.
- Pinces à bijoux (facultatives). Elles sont utiles uniquement pour les montages de bijoux coordonnés. L'idéal est d'en posséder une plate, une ronde et une coupante.
- Une aiguille à perles souple en fil métallique fin torsadé ou un morceau de fil de Nylon (fil de pêche). Ces éléments sont souvent facultatifs mais ils peuvent être très utiles si le trou des perles est un peu juste pour le fil ou si ce dernier est effiloché.
- Une aiguille à tapisserie. Elle aide à faire certains nœuds et surtout à rattraper des erreurs.

Les fils

- Fil de Nylon tressé de 0,8 mm à 1,2 mm de diamètre de différentes couleurs. Le plus fin a l'avantage d'entourer les perles avec discrétion.
- Fil de coton ciré de 1,2 mm de diamètre environ.
- Queue-de-rat. Elle donne un aspect soyeux aux bijoux. Pour les bracelets, préférez les diamètres assez fins.
- Lacet en tissu. Ce type de lacet permet créer des bijoux utilisant les même nœuds que les shamballa. À motifs, vous pourrez vous amuser à les harmoniser à ces derniers.

Perles à shamballa

Les perles qui rencontrent le plus de succès et qu'on désigne par ce nom sont celles qui sont pavées de strass. On les trouve dans différents diamètres. Les plus courantes sont celles de 10 mm de diamètre.

Autres perles

De nombreuses perles peuvent aussi convenir pour créer un bracelet shamballa et s'associent aux perles strassées à condition d'être percées d'un trou suffisamment grand. À vous de choisir parmi les perles de pierres dures, façon culture, métalliques, en bois, en os...

Choisissez-les entre 6 mm et 12 mm de diamètre selon les effets recherchés.

Les associations de perles à shamballa avec des perles de métal de même diamètre sont faciles et souvent très réussies !

Pour les finitions, des perles de diamètre inférieur avec un trou de bonne dimension seront parfaites.

Les médaillons et les connecteurs

Munis d'anneaux de part et d'autre ou d'un conduit pour passer les fils, ils permettent de placer un motif, souvent au centre du bracelet shamballa.

Carrés et rectangles à shamballa, rondelles, perles fantaisie strassées

Ils complètent la gamme des perles rondes.

Chaîne strassée

On peut associer de la chaîne à strass de 2 à 5 mm aux nœuds de shamballa pour créer des bijoux à la fois chic et faciles à porter.

Les apprêts

Attaches de boucles d'oreilles, tiges à tête ou à boucle, chaîne au mètre, fermoirs, attache-breloques, calottes, embouts, mini-pendentifs... ces petits accessoires vous permettront d'apporter des détails originaux ou de créer des bijoux coordonnés à vos bijoux shamballa.

Shamballa : une technique simple

À de rares exceptions, tous les bijoux proposés dans ce livre suivent cette méthode. Les perles sont portées par un fil central, simple ou doublé, autour duquel un second fil forme des nœuds plats : un principe simple, mais jamais monotone car il permet de très nombreuses variantes !

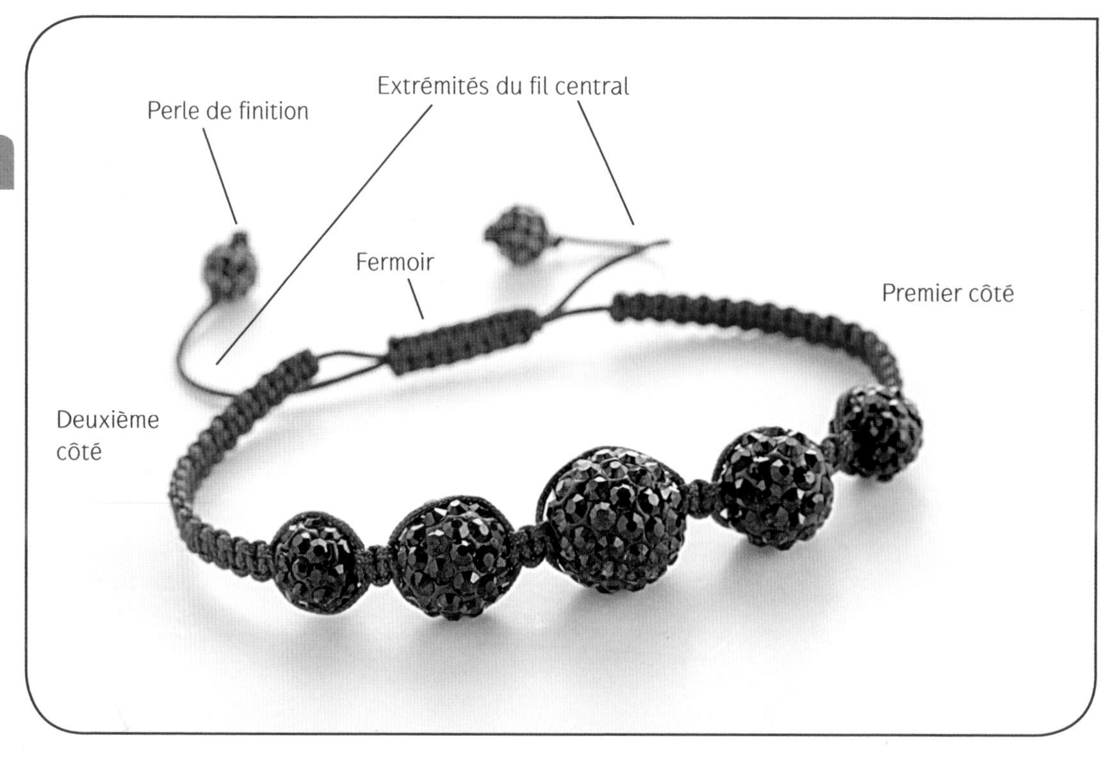

Pour ouvrir le bracelet, tirez sur les deux côtés. Pour le fermer, tirez sur les deux extrémités du fil central qui dépassent.

1 Préparation des fils

Pour le fil central, mesurez votre poignet et ajoutez 25 à 30 cm. On obtient généralement une longueur de 45 à 50 cm. Coupez un second fil de 1,50 m.

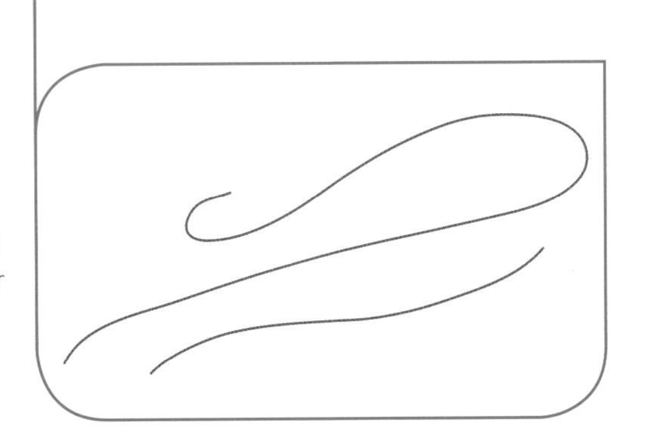

Longueurs des fils

Les mesures sont données pour un poignet moyen. Elles sont volontairement un peu larges pour éviter les mauvaises surprises dues aux variations de diamètre de fil ou de serrage et pour travailler plus aisément. N'hésitez pas à les allonger si le bracelet comporte peu de perles et donc plus de nœuds. Selon l'effet recherché ou la lourdeur des perles, le fil central peut être doublé (voir modèles page 22).

2 Préparation du support

Coupez une bande de papier de longueur équivalant au diamètre de votre poignet, sans marge. Marquez un repère au centre, puis des repères de part et d'autre, selon le nombre de perles que vous souhaitez utiliser. Ce guide n'est pas obligatoire, mais très utile.

Scotchez la bande sur le support choisi en la centrant : le repère du milieu doit correspondre approximativement au centre du support : s'il y un petit écart, pas de panique !

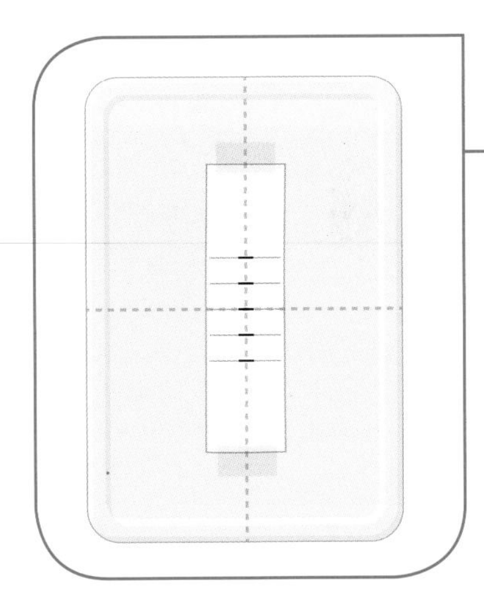

3 Mise en place du fil central (fil fixe)

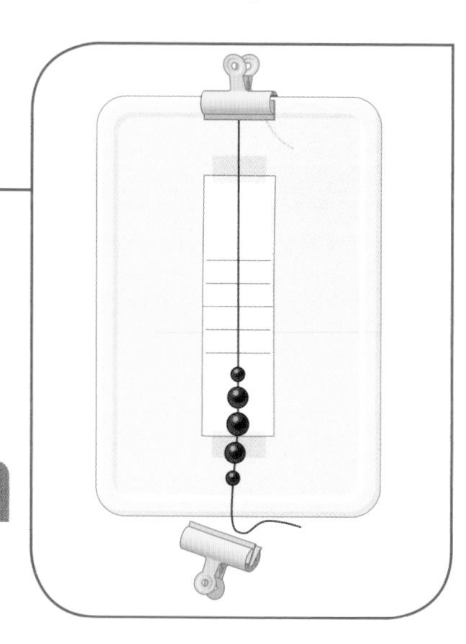

Avec une pince, fixez le fil central en haut du support, de façon à ce que le milieu corresponde au repère central sur la bande de papier.
Enfilez les perles dans l'ordre choisi. Fixez le fil en bas du support.

Astuce

Si le trou des perles est un peu juste ou si le fil s'effiloche, utilisez une aiguille à perles adaptée ou un fil de Nylon plié en deux pour enfiler les perles.

4 Mise en place du fil de travail

Nouez le second fil par son milieu sur le fil central, au niveau du haut de la bande de papier. Serrez-le.
Placez un brin à droite et un brin à gauche.

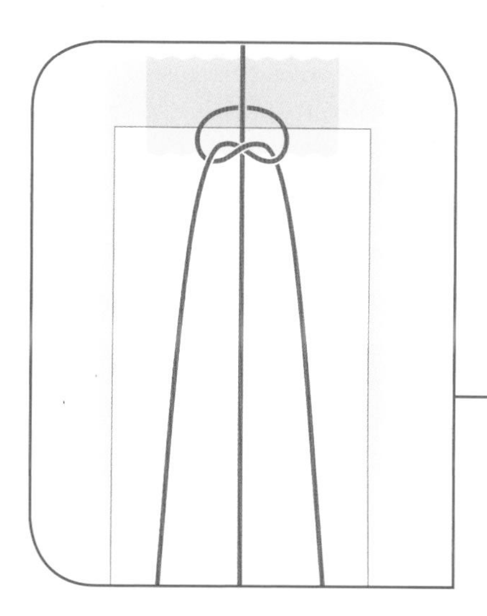

5 Premier côté

Réalisez une série de nœuds plats en suivant les étapes a à d. Pour plus de clarté, le fil central et les brins du fil de travail sont ici représentés dans deux tons distincts.

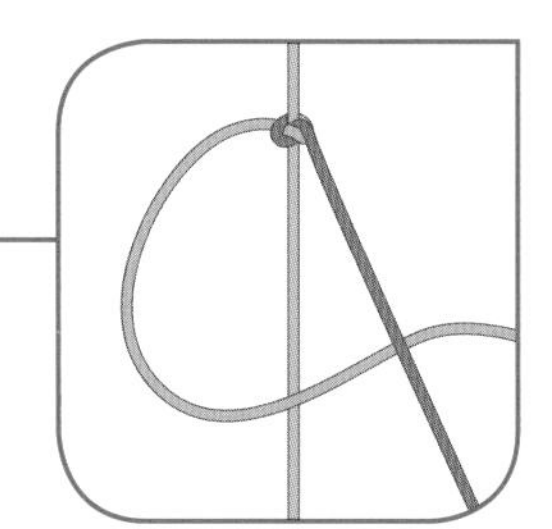

a) Passez le brin de gauche sur le fil central et sous le brin de droite ; vous obtenez une boucle à gauche.

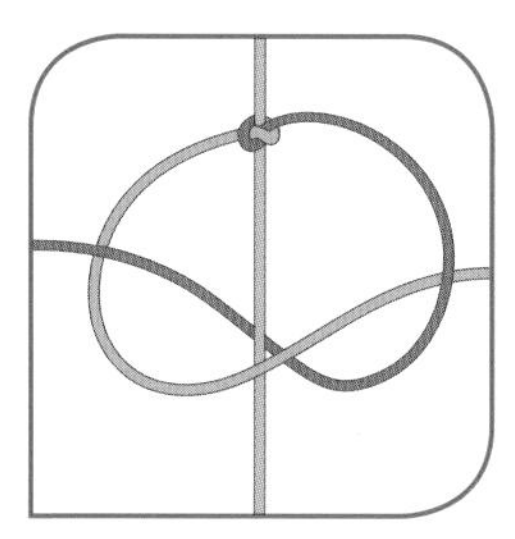

b) Glissez le brin de droite sous le fil central et dans la boucle de gauche. Serrez. Le premier nœud est fait.

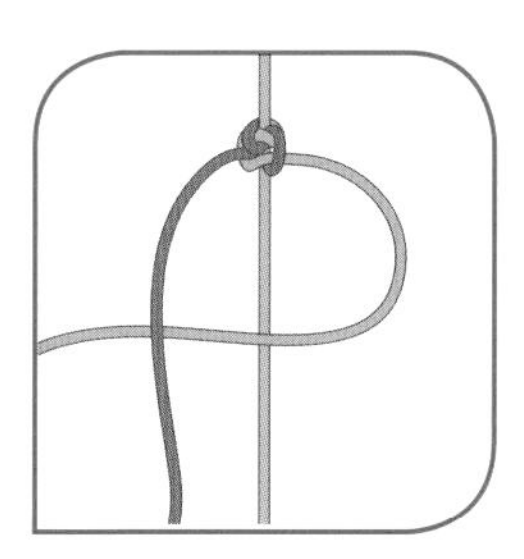

c) Passez le brin de droite sur le fil central et sous le brin de gauche ; vous obtenez une boucle à droite.

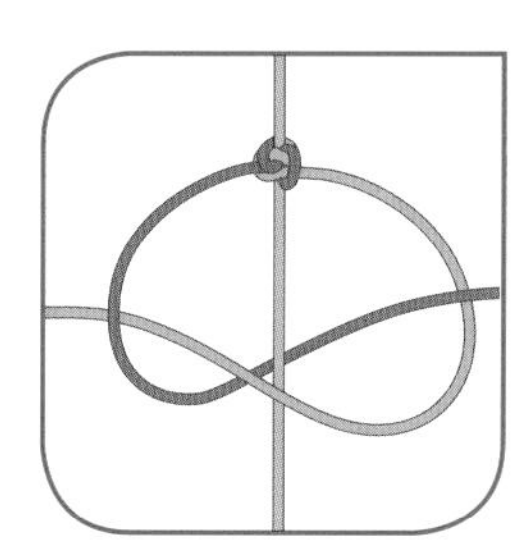

d) Glissez le brin de gauche sous le fil central et dans la boucle de droite. Serrez. Le deuxième nœud est fait. Répétez de a à d jusqu'à la bonne longueur.

Rattraper les erreurs !

Si vous vous rendez compte qu'un nœud est mal formé (nœud formé dans le mauvais sens, fil vrillé...) défaites-le en le tirant avec la pointe d'une aiguille à tapisserie. Procédez délicatement pour ne pas abîmer le fil.

6 Mise en place des perles

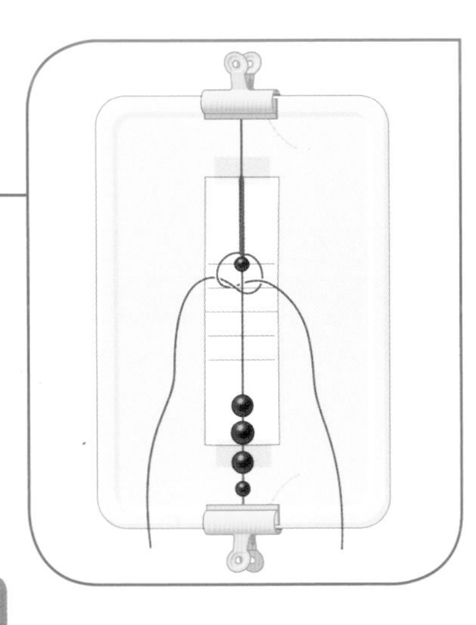

Glissez la première perle contre le dernier nœud.
Passez les brins de part et d'autre. Nouez-les comme précédemment, en alternant le sens par rapport au dernier nœud. Serrez bien. La perle est maintenant cernée.
En vous basant sur les repères, refaites le nombre de nœuds nécessaire avant de placer la seconde perle, et ainsi de suite.

Conseil

Suivez les repères en vous adaptant si nécessaire : privilégiez plutôt un nombre de nœuds identique entre chaque perle. Si de petits décalages se créent, cela n'est pas très gênant, vous compenserez ces écarts en tissant un fermoir plus ou moins long.

7 Second côté

Procédez comme pour le premier côté en réalisant une série de nœuds plats sur la même longueur. Détachez le bracelet du support.

8 Arrêt du fil de travail

Avec les matières qui « fondent » à la chaleur

Coupez les deux brins à 2 ou 3 mm. Arrêtez les brins en approchant délicatement la flamme d'un briquet.

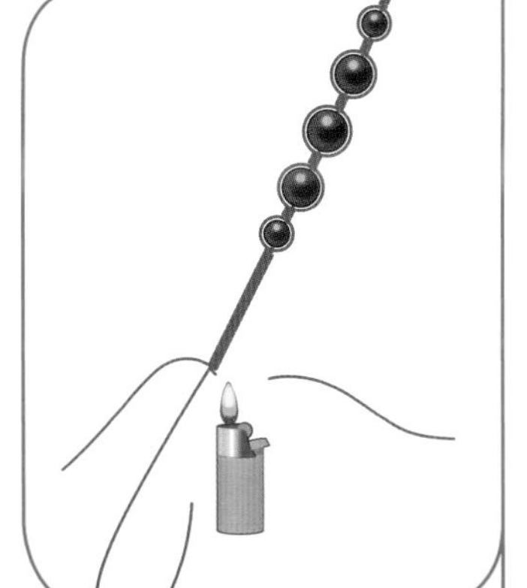

Attention

Avant de brûler les fils sur votre bijou, entraînez-vous sur une chute afin de vérifier que la matière choisie fond bien sous l'effet de la chaleur. Les enfants ne doivent jamais pratiquer cette finition seuls.

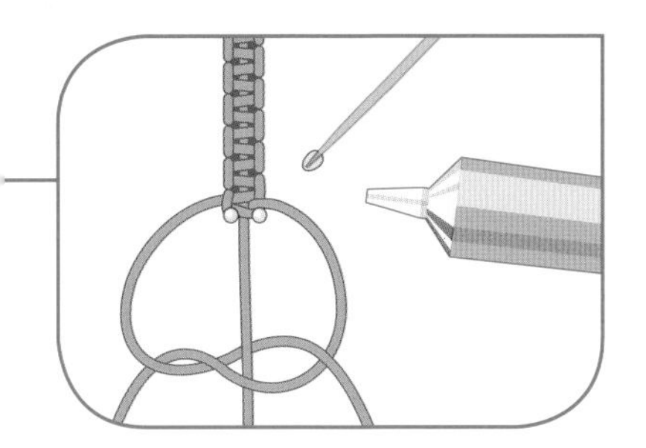

Avec les autres matières

Si la matière ne fond pas ou mal, comme le coton ciré, déposez un peu de colle dans le dernier nœud avec la pointe d'un cure-dent avant le serrage complet. Laissez sécher. Coupez les brins de fil et appliquez un autre point de colle sur les extrémités.

9 Fermoir

Prévoyez 20 à 30 cm de fil. Utilisez une des chutes du fil de travail ou recoupez un morceau si nécessaire. Croisez les deux extrémités du fil central. Nouez le nouveau fil en son milieu autour de celles-ci. Réalisez une nouvelle série de nœuds plats autour des deux brins centraux, jusqu'à ce que le bracelet atteigne la bonne longueur, une fois serré autour du poignet.

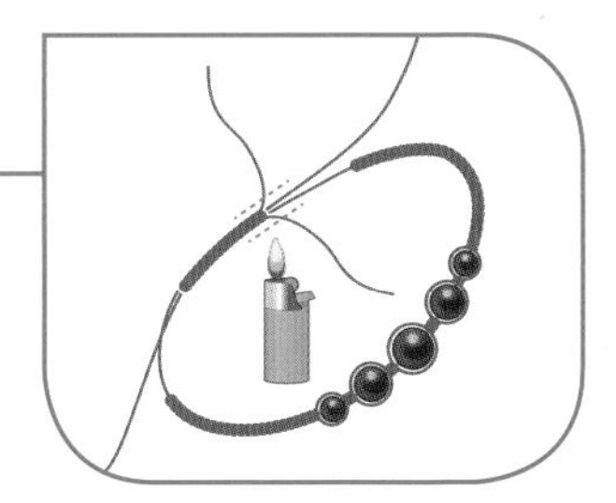

Coupez les brins de fils du fermoir et arrêtez-les comme à l'étape 8. Si vous optez pour les finitions collées, veillez à ne pas encoller les fils de travail et faites coulisser plusieurs fois le fermoir avant le séchage complet.

10 Finition

Serrez le bracelet comme s'il était fermé.

Astuce

Pour les finitions, n'hésitez pas faire des graduations sur votre support pour prendre plus facilement les mesures.

1re possibilité

Enfilez une perle sur un des brins, faites un double nœud à distance du bracelet : à 5 ou 6 cm environ. Procédez de la même façon sur l'autre brin. Arrêtez les brins de fil comme les autres.

2e possibilité

Vous pouvez faire un ou deux nœuds avant la perle, puis deux après.

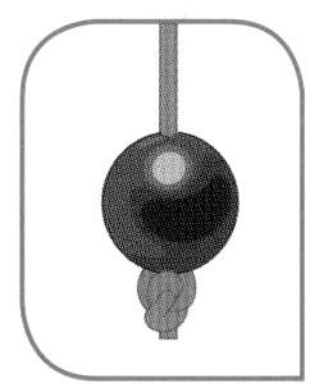

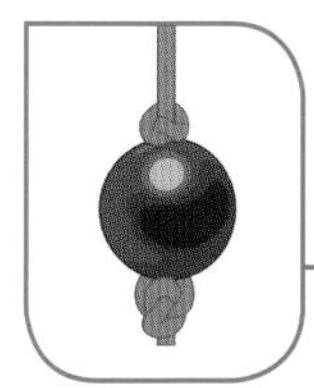

Nœuds shamballa de base

Nœud plat

Passez le brin de gauche sur le fil central et sous le brin de droite ; vous obtenez une boucle à gauche (a). Glissez le brin de droite sous le fil central et dans la boucle de gauche (b). Serrez. Passez le brin de droite sur le central et sous le brin de gauche ; vous obtenez une boucle à droite (c). Glissez le brin de gauche sous le fil central et dans la boucle de droite (d). Serrez et recommencez du début.
Ce nœud peut aussi se former sans fil central. Dans ce cas, ne tenez compte que du croisement des fils de travail.

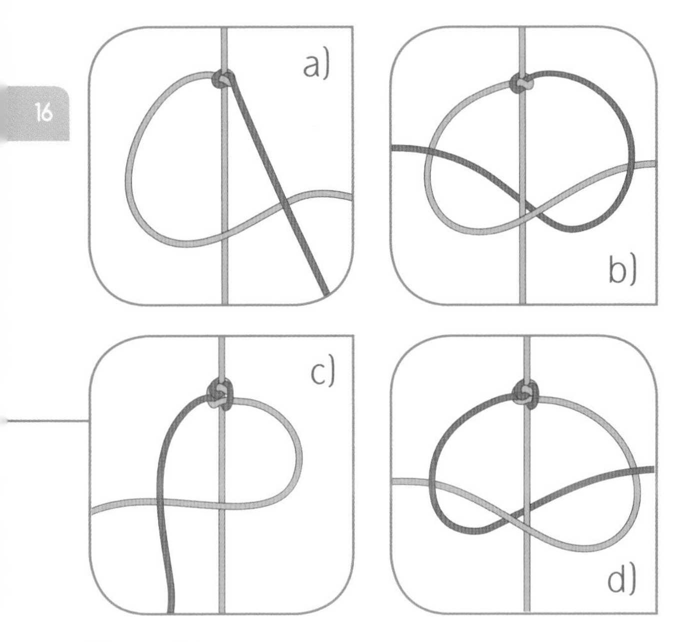

Aide-mémoire

À chaque nœud, une petite barre verticale se forme à droite ou à gauche. Pour respecter l'alternance, passez dessus le fil qui se trouve du côté de cette dernière petite barre verticale.

Nœud torse

Ce nœud se forme sur le même principe que le nœud plat mais faisant la première boucle toujours du même côté. Il se réalise de préférence sur un seul fil central fixe. Enchaînez au choix les figures a et b ou c et d.

Attacher des motifs centraux à anneaux

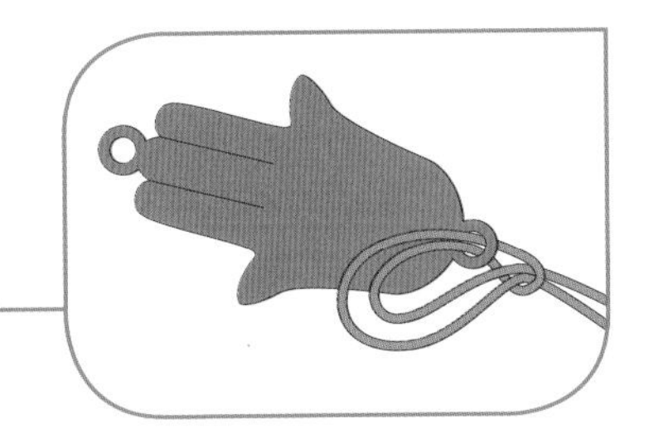

Nœud tête d'alouette

Ce nœud qui double le fil convient à tous les types de fil si la taille de l'anneau le permet. Pliez le fil en deux. Passez la boucle dans l'anneau de haut en bas. Allongez-la et passez les deux extrémités du fil dedans. Serrez le nœud.

Nœud de pendu

Ce nœud est réalisable sur les fils souples que l'on ne souhaite pas doubler. Passez le fil dans le motif et tirez l'extrémité sur 10 à 15 cm. Formez une boucle parallèle au long brin, passez par-dessous et revenez par-dessus (a).
Enroulez l'extrémité 2 ou 3 fois (b). Repassez-la par-dessous, puis dans la boucle (c). Agrandissez l'attache pour serrer le nœud, puis tirez sur la longue extrémité pour réduire l'attache (d).

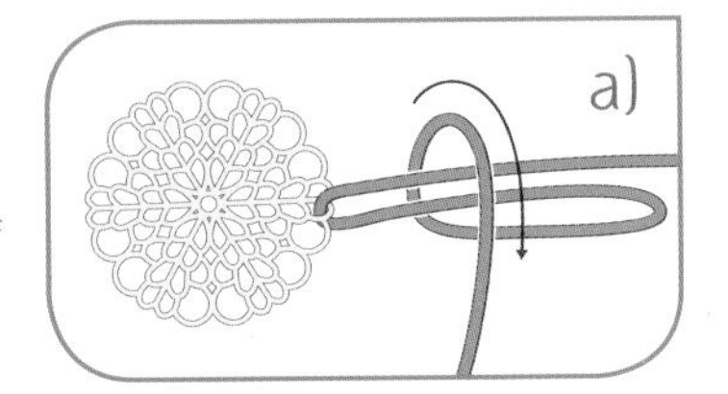

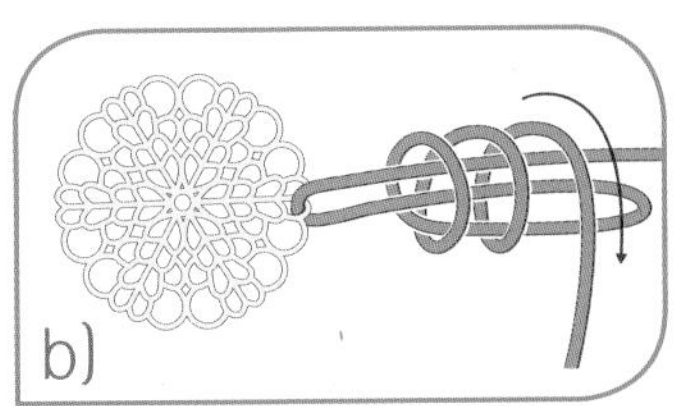

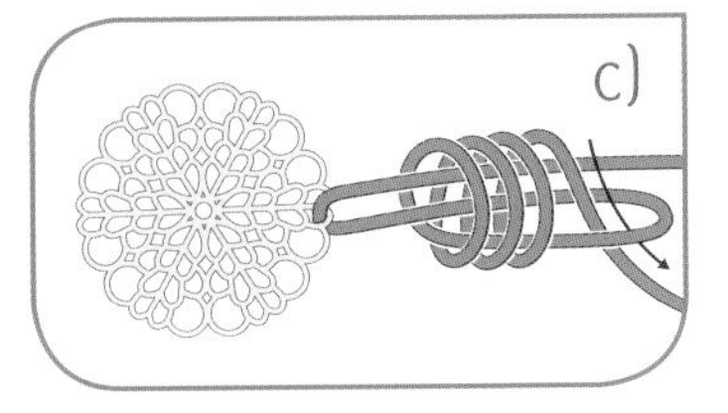

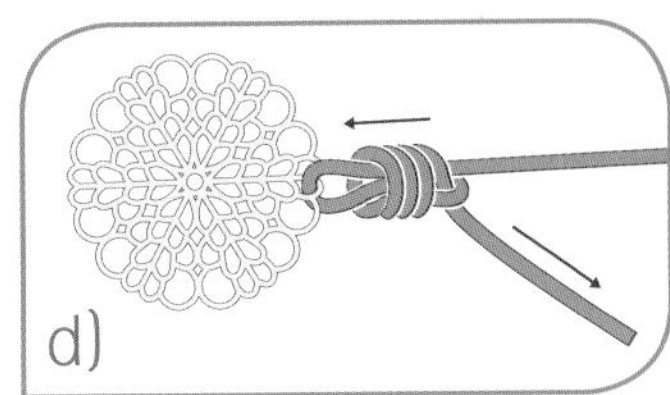

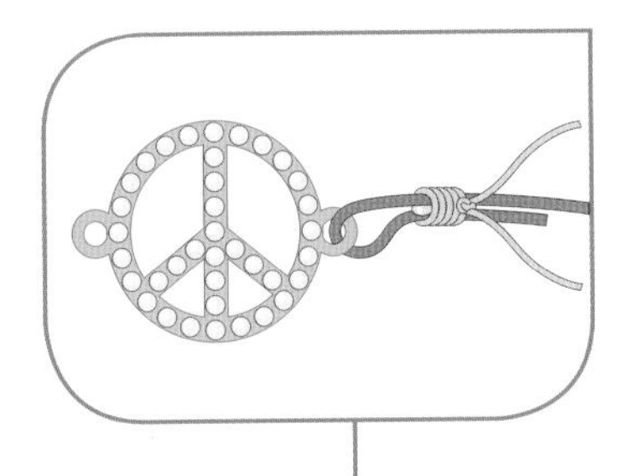

Ligature

Si le fil est glissant comme la queue-de-rat, vous pouvez le ligaturer à 1 cm de l'anneau environ avec du fil à coudre. N'hésitez pas utiliser une aiguille à coudre pour piquer dans l'épaisseur du lacet et/ou à renforcer la fixation par un point de colle. Raccourcissez éventuellement l'extrémité du fil. Nouez le fil de travail et faites les premiers nœuds de façon à masquer la ligature.

Finitions

Sur un fil

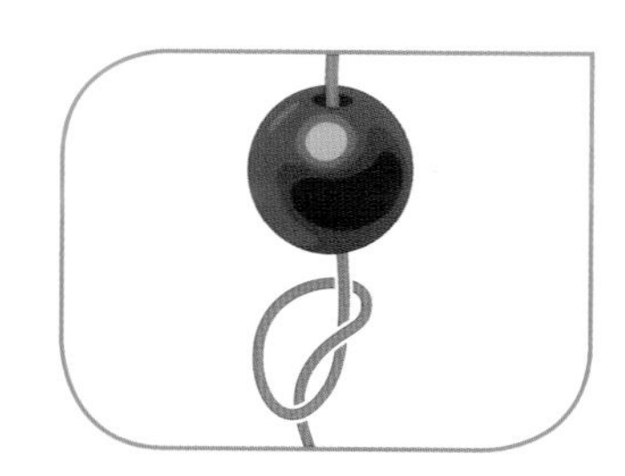

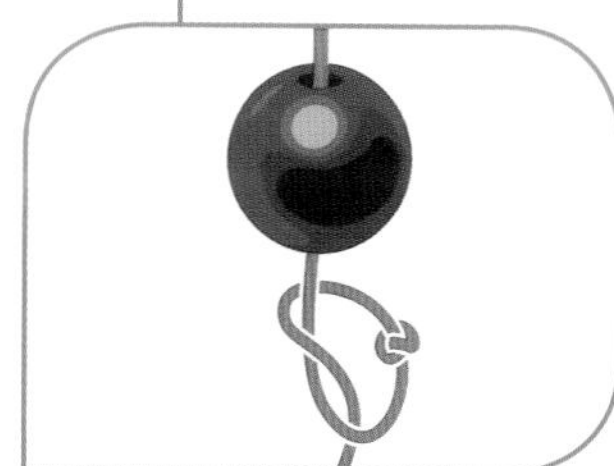

Double nœud :
faites deux nœuds simples
bien serrés l'un après l'autre.

Nœud en 8 :
vous pouvez l'utiliser pour arrêter
un fil un peu épais sans perle.

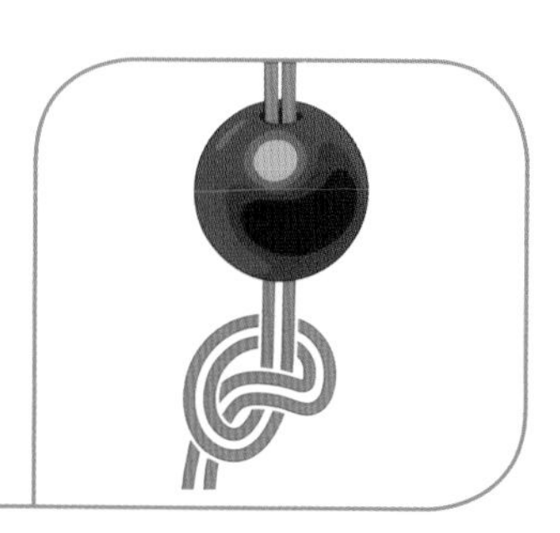

Sur deux fils

Nouez simplement les deux brins en même temps. Avec un fil fixe double, vous pouvez soit faire les finitions sur les deux fils en même temps, soit terminer chaque fil séparément.

Avec une perle plate ou une rondelle

Cette finition est possible avec un fil ou deux utilisés en même temps. Formez deux boucles au plus près de la perle en serrant bien entre chacune d'elle.

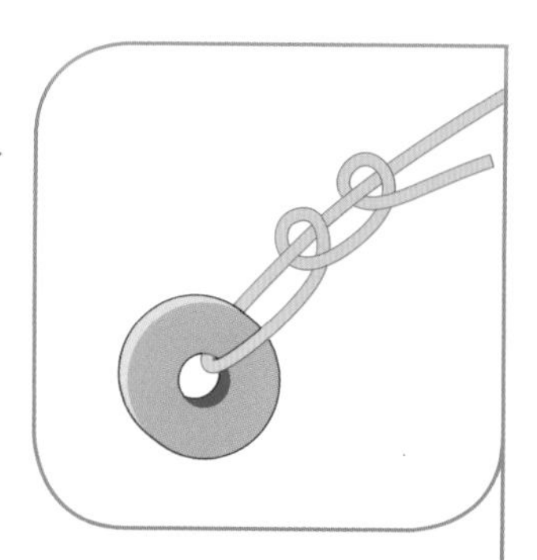

À retenir !

Si le fil est glissant ou ne fond pas, encollez les nœuds avant de les serrer.

Techniques de bijoux complémentaires

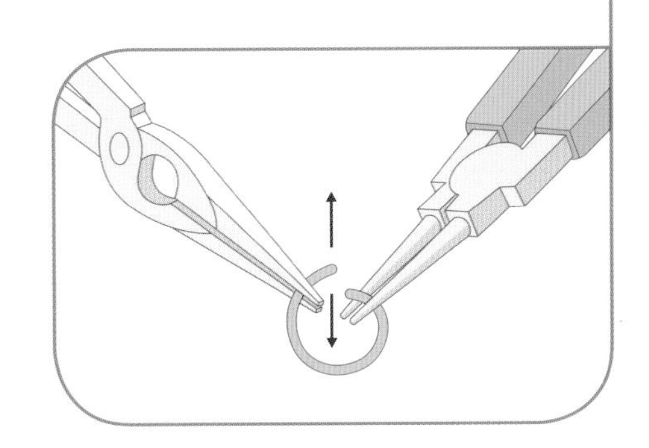

Ouvrir et fermer un anneau.

Cette manipulation est plus aisée avec deux pinces. Pour ne pas déformer l'anneau, il vaut mieux l'ouvrir en le vrillant : tirez l'une des extrémités de l'anneau vers vous et l'autre dans la direction opposée. Refermez de la même façon.

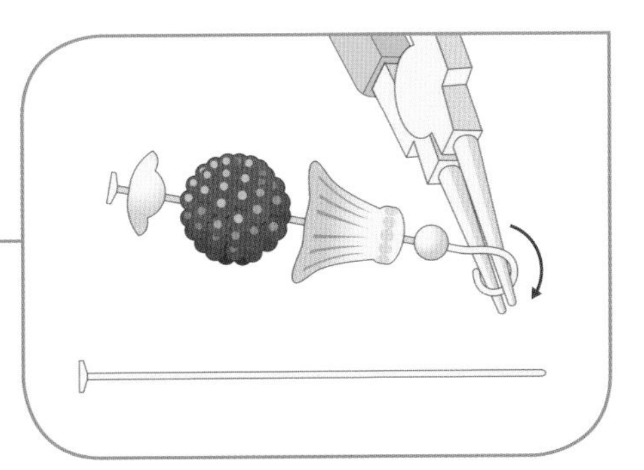

Breloque sur tige métallique

Enfilez un ou plusieurs éléments sur une tige à tête. Á l'aide d'une pince coupante, raccourcissez-la à 8 ou 10 mm au-dessus de la dernière perle et formez un anneau avec la pince ronde.

Barrette sur tige métallique

Elle se réalise comme une breloque sur une tige à boucle. On peut la raccorder par les deux extrémités.

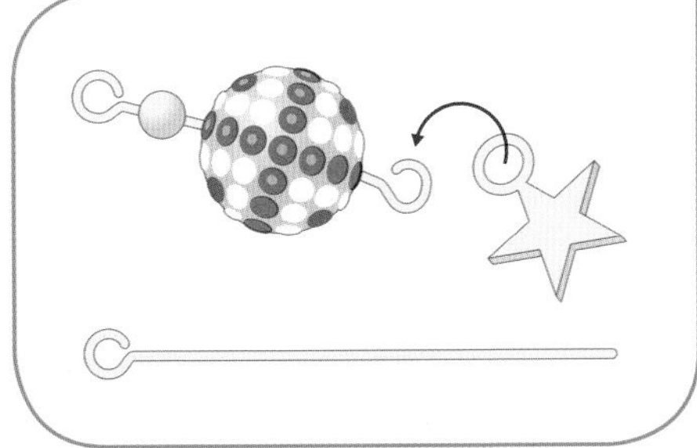

Raccord

Raccordez les breloques et les barrettes sur tige par leurs anneaux entrouverts avant de les fermer complètement.

Les modèles

Shamballa monochrome

Fil de Nylon tressé de 0,8 mm de diamètre

1 perle à shamballa de 10 mm de diamètre

Perles métalliques argentées de 3 mm de diamètre : 2 pour les finitions

Nœud utilisé : nœud plat

+ technique

Pour donner de la tenue à ce modèle, mettez deux fils centraux en place au lieu d'un. Pour les finitions, enfilez une perle sur les deux brins en même temps et nouez-les ensemble (voir page 18).

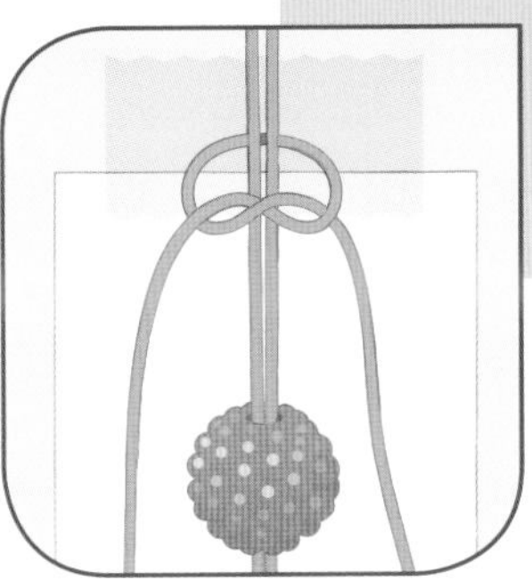

Shamballa à la croix

Fil de coton ciré de 1,2 mm de diamètre environ

1 connecteur croix de 4 cm de long

Perles métalliques argentées de 4 mm de diamètre : 2 pour les finitions

Nœud utilisé : nœud plat

+ technique

Placez le connecteur sur le fil fixe. Après avoir réalisé tous les nœuds du premier côté, enfilez les deux brins de travail dans le tube du connecteur. Poussez le connecteur contre les derniers nœuds, puis réalisez le second côté.

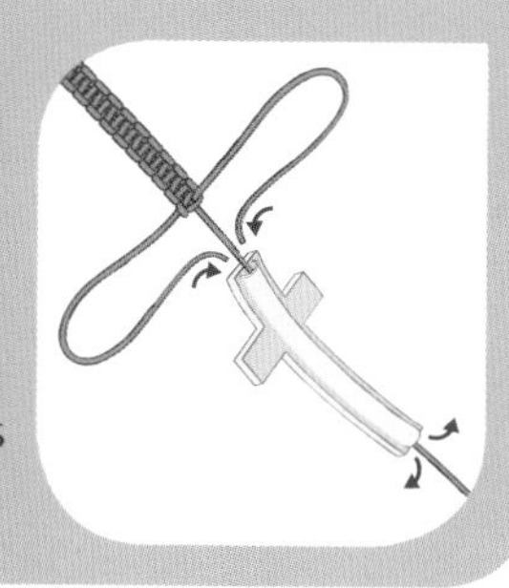

Shamballa noir et argent

Fil de Nylon tressé de 0,8 mm de diamètre

Perles à shamballa de 10 mm de diamètre : 4 à 6 selon la largeur du poignet

Perles métalliques argentées de 10 mm de diamètre : 5 à 7 selon la largeur du poignet

Perles métalliques argentées de 6 mm de diamètre : 2 pour les finitions

Nœud utilisé : nœud plat

Pour ce type de bracelet, il n'est pas nécessaire de prendre des repères. Commencez par 8 nœuds (nœud de fixation du fil de travail compris), puis espacez les perles régulièrement, ici par 4 nœuds. Terminez par 8 nœuds.

Shamballa argent

Fil de coton ciré de 1,2 mm de diamètre environ

Perles à shamballa de 10 mm de diamètre : 9 à 11 selon la largeur du poignet

Perles métalliques argentées de 4 mm de diamètre : 2 pour les finitions

Nœud utilisé : nœud plat

Réalisé selon le même principe que le shamballa noir et argent, ce bracelet alterne des séries de 4 nœuds et les perles.

Pour les 3 modèles

Fil de Nylon tressé de 0,8 mm de diamètre

13 à 15 perles de 10 mm de diamètre en verre, en pierres dures ou métalliques

Perles de diamètre inférieur pour les finitions (10 à 3 mm)

Aiguille à perles souple ou fil de Nylon

Aiguille à tapisserie

Nœuds utilisés : nœud intercalaire pour l'enfilage et nœud plat pour le fermoir

+ technique

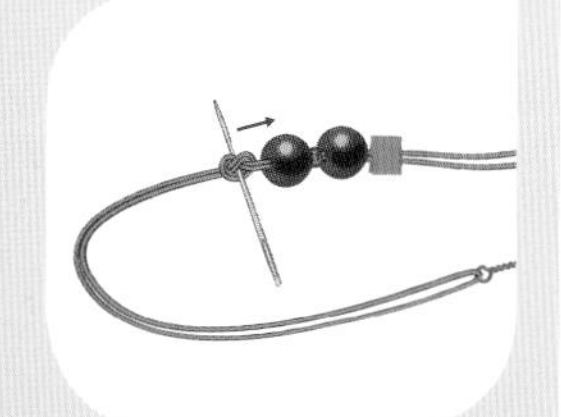

Coupez un fil de 1,50 m environ, enfilez l'aiguille à perles et mettez le fil en double. Enfilez une perle à 10 cm de l'extrémité. Bloquez-la par un scotch. Faites un premier nœud avec les deux brins en même temps.

Enfilez la deuxième perle contre le premier nœud. Réalisez un nouveau nœud en vous aidant d'une aiguille à tapisserie pour le placer au plus près de la perle. Continuez ainsi en alternant les perles à votre guise.

Pour les finitions, procédez comme pour un shamballa classique. Le fermoir est réalisé avec deux brins de fil utilisés en même temps.

Modèle sans breloque

Fournitures complémentaires :

1 perle tête de mort percée dans la largeur

Si le trou de la perle tête de mort est trop gros, enfilez-la entre deux autre perles sans faire de nœud intercalaire.

Modèles à breloque

Fournitures complémentaires :

1 perle tête de mort percée dans la hauteur

1 tige à tête

1 attache breloque

3 perles noires de 3 mm de diamètre

Pinces à bijoux

Montez les breloques sur tige en vous référant à la page 19. Intercalez des petites perles pour empêcher la tête de la tige de passer au travers de la perle et les nœuds du bracelet au travers de l'attache-breloque.

Shamballa jaune

Fil de Nylon tressé de 0,8 mm de diamètre

1 rectangle à shamballa de 10 mm de longueur

Perles métalliques argentées de 6 mm de diamètre : 2 pour les finitions

Nœud utilisé : nœud plat

+ technique

Les rectangles et les carrés à shamballa s'enfilent comme les perles. Les brins du fil de travail restent bien en place dans les rainures latérales.

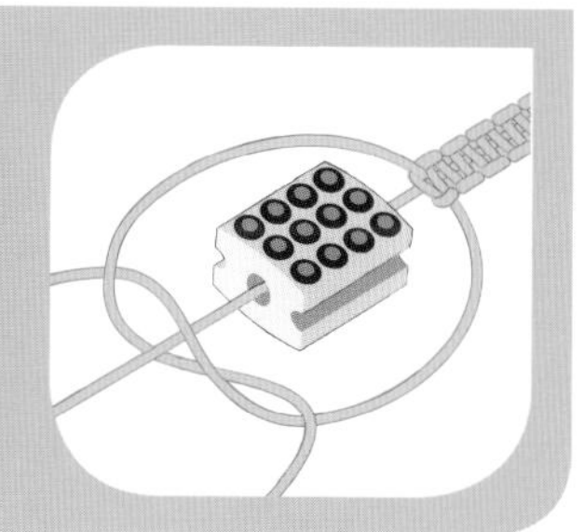

Conseil

Lorsqu'il n'y a pas ou peu de perles sur le bracelet, pensez à augmenter la longueur du fil de travail.

Shamballa orange

Fil de Nylon tressé de 0,8 mm de diamètre

1 carré à shamballa de 6 mm de côté

Pour les finitions : 2 perles noires de 3 mm de diamètre et 4 perles métalliques argentées de 2 mm de diamètre (assurez-vous que le trou des perles est suffisamment gros)

Nœud utilisé : nœud plat

+ technique

Sur ce modèle, le fermoir se porte sur le dessus du poignet. Commencez le shamballa comme d'habitude, mais sans placer de perle. Pour le fermoir, croisez les extrémités du fil de travail dans le carré. Faites une série de nœuds avec le nouveau fil (ici 8, y compris le nœud de fixation), mettez le carré en place comme une perle, puis refaites une série de nœuds pour terminer le fermoir.

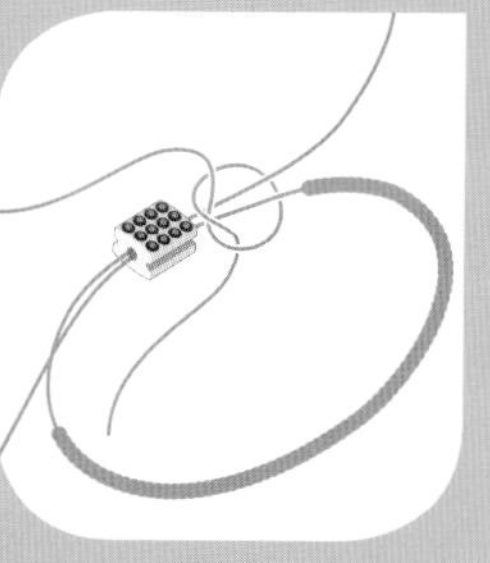

Pendentif

1 perle à shamballa de 10 à 12 mm de diamètre
2 calottes
1 tige à tête
1 attache-breloque
1 cordon
2 embouts
1 fermoir et 2 anneaux
Pinces à bijoux
Colle

+ technique

En vous référant à la page 19, montez la perle sur tige, en plaçant une calotte avant et après. Accrochez l'anneau de la tige à celui de l'attache-breloque. Enfilez le pendentif sur le cordon recoupé à la longueur que vous souhaitez en tenant compte des finitions.

Pour fixer les embouts, déposez un point de colle sur l'extrémité du cordon, placez l'embout, puis écrasez-le à la pince. Reliez le fermoir par des anneaux.

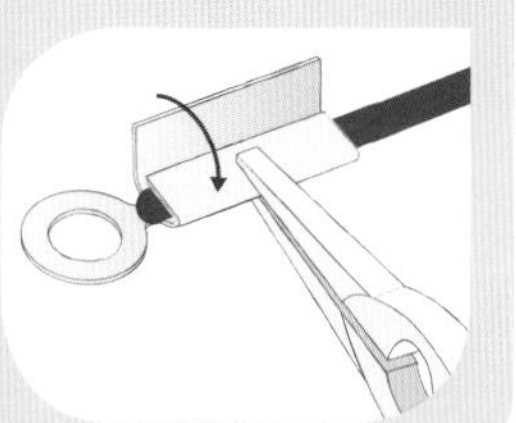

Boucles d'oreilles

2 calottes
2 perles à shamballa de 10 mm de diamètre
2 tulipes évasées
2 perles métalliques de 3 mm de diamètre
2 fois 3,5 cm de chaînette
2 tiges à tête
2 attaches de boucles d'oreilles
4 anneaux

Pour chaque boucle, sur une tige, montez une calotte, une perle à shamballa, une tulipe et une petite perle, comme expliqué page 19. Reliez un morceau de chaînette, puis l'attache avec des anneaux.

Shamballa jaune et violet

Fil de Nylon tressé de 0,8 mm de diamètre

1 perle à shamballa ovale de 12 mm de longueur environ

Perles métalliques argentées de 4 mm de diamètre : 2 pour les finitions

Nœud utilisé : nœud plat

+ technique

Pour mettre une perle centrale en valeur, on peut choisir de ne pas la cerner. Après avoir réalisé tous les nœuds du premier côté, enfilez les deux brins de travail dans le trou. Poussez la perle contre les derniers nœuds, puis réalisez le second côté.

Si le trou de la perle est trop petit, vous pouvez également commencer le bracelet de part et d'autre de la perle.

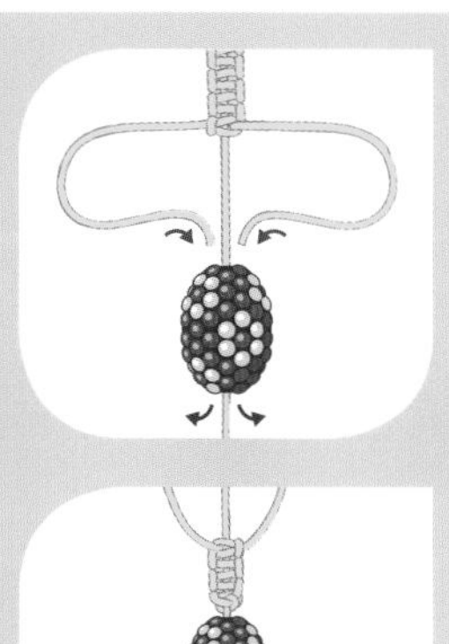

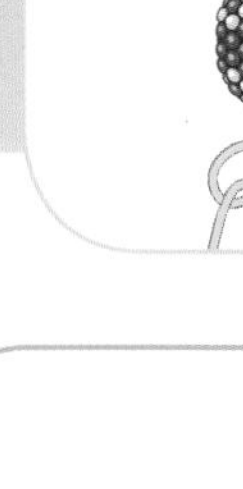

Shamballa violet

Fil de Nylon tressé de 0,8 mm de diamètre

Perles à shamballa : 1 de 12 mm, 2 de 10 mm, 2 de 8 mm, 2 de 6 mm (finitions)

Nœud utilisé : nœud plat

Séparées par 4 nœuds, les perles se détachent les unes des autres tout en se plaçant sur le dessus du poignet.

Shamballa mauve

Fil de Nylon tressé de 0,8 mm de diamètre

Perles à shamballa : 1 de 12 mm, 2 de 10 mm, 2 de 8 mm

Perles métalliques argentées de 4 mm de diamètre : 2 + 2 pour les finitions

Nœud utilisé : nœud plat

Les perles sont séparées par 2 nœuds uniquement. Des petites perles argentées placées avant et après les perles à shamballa font écho à celles des finitions.

Shamballa à 11 perles + 2

Fil de Nylon tressé de 0,8 mm de diamètre
Perles à shamballa : 7 de 10 mm (3 foncées, 4 claires)
Perles nacrées : 4 de 10 mm
Perles métalliques : 2 de 4 mm + 2 de 3 mm pour les finitions
Nœud utilisé : nœud plat

Enfilez les perles sur le fil fixe de façon harmonieuse et symétrique. Placez une petite perle métallique de part et d'autre.
Réalisez le bracelet en faisant 3 nœuds de part et d'autre des perles métalliques (y compris le nœud de fixation) et 4 nœuds entre les autres perles.

Shamballa bicolore

Fil de Nylon tressé de 0,8 mm de diamètre de deux couleurs
Perles métalliques argentées à reliefs : 1 de 10 mm de diamètre, 2 de 5 mm
2 intercalaires strassés
Perles métalliques : 2 de 4 mm pour les finitions
Nœud utilisé : nœud plat

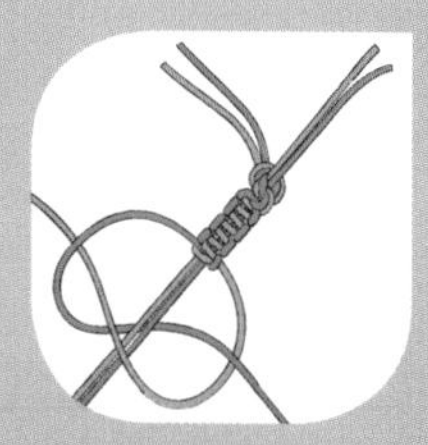

+ technique

Doublez le fil fixe en préparant un brin de chaque couleur et enfilez les perles dessus. Pour le fil de travail, préparez de la même façon un brin de chaque couleur (75 à 80 cm). Fixez-les par un nœud provisoire et commencez les nœuds plats comme d'habitude. La couleur qui passera sous les fils fixes se placera en bordure. Arrivé au milieu, enfilez les fils dans les perles, puis recommencez les nœuds de l'autre côté. À la fin, défaites le nœud provisoire et arrêtez toutes les extrémités. Réalisez le fermoir de la même façon.

Shamballa double

Fil de Nylon tressé de 1 mm de diamètre ou un peu plus épais

Perles métalliques façon hématite : 22 à 24 perles de 10 mm + 2 de 6 mm pour les finitions

Nœud utilisé : nœud plat

+ technique

Doublez le fil fixe. Enfilez la moitié des perles sur chaque fil, puis commencez le shamballa comme d'habitude sur environ 2 cm.

Détachez le bas des fils fixes du support. Remontez toutes les perles contre le dernier nœud. Maintenez les fils d'une main sous les dernières perles (la gauche, si vous êtes droitier(ère), et inversement). Vous pouvez également bloquer les perles avec un morceau de scotch de peintre.

Avec l'autre main, enroulez un des brins de fil de travail autour des perles. Maintenez-le une fois arrivé à la dernière perle. Enroulez l'autre fil de travail dans l'autre sens de façon à créer un motif de zigzag autour des perles.
Tout en continuant à maintenir l'ensemble, recommencez les nœuds.

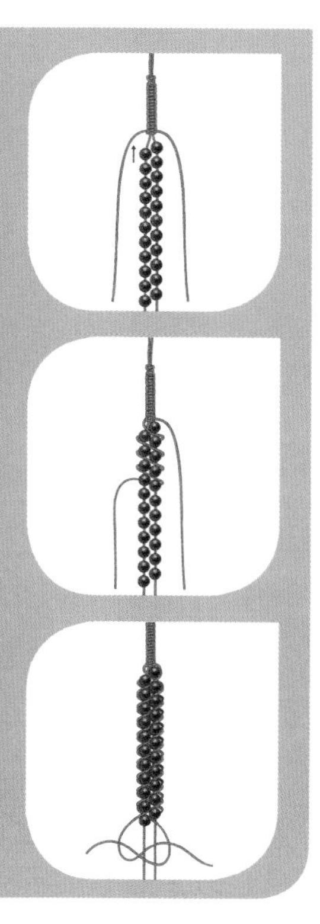

Shamballa à 11 perles

Fil de Nylon tressé de 0,8 mm de diamètre

Perles à shamballa : 3 de 10 mm

Perles métalliques façon hématite : 8 de 10 mm + 2 de 6 mm pour les finitions

Nœud utilisé : nœud plat

Les perles métalliques étant généralement lourdes, il est préférable de doubler le fil fixe. Commencez le bracelet par 8 nœuds y compris le nœud de fixation, puis faites 4 nœuds entre chaque perle.

Pierres dures et argent

Fil de Nylon tressé de 0,8 mm de diamètre (noir)

Fil de coton ciré de 1,2 mm de diamètre (turquoise et marron)

10 à 12 perles de 10 mm de diamètre : métalliques, turquoise, façon lave

Pour les finitions : 2 perles turquoise de 6 mm de diamètre et 2 perles noires de 4 mm de diamètre

Nœud utilisé : nœud plat

Enfilez les perles sur deux fils fixes noirs. Réalisez les nœuds avec un brin marron et un brin bleu comme pour le shamballa bicolore de la page 34. Commencez et terminez par 8 nœuds et faites 3 nœuds pour séparer les perles afin d'alterner les couleurs tantôt à droite, tantôt à gauche de celles-ci. Bloquez les fils par un point de colle. Utilisez une seule couleur pour le fermoir.

Fils chinés et turquoises

Fil de Nylon tressé de 0,8 mm de diamètre (noir et beige)

Fil de coton ciré de 1,2 mm de diamètre (marron)

12 à 14 perles turquoise de 10 mm de diamètre dont 2 pour les finitions

1 cylindre turquoise de 2 cm de long et 12 mm de diamètre environ

Nœud utilisé : nœud plat

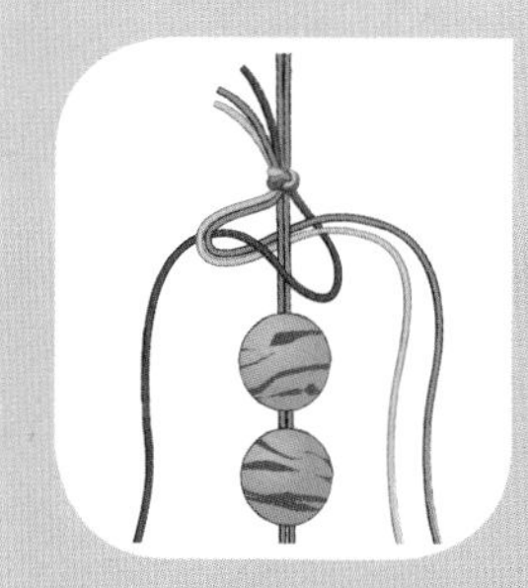

+ technique

Doublez le fil fixe en préparant deux brins noirs. Enfilez les perles dessus. Réalisez les nœuds avec un brin marron qui passera sur les fils de travail, et un brin beige et un brin noir utilisés ensemble et qui passeront dessous. Réalisez 3 nœuds avant et après les perles : les couleurs passent alternativement à droite et à gauche des perles. Bloquez les fils par un point de colle. Utilisez une seule couleur pour le fermoir.

Conseil

Pour créer une belle alternance, commencez toujours dessous à droite avec l'une des couleurs, et dessous à gauche avec l'autre couleur.

Tissage bicolore et motif central

Fil de Nylon tressé de 0,8 mm de diamètre de deux couleurs contrastées

1 connecteur à deux anneaux de 3 cm de long environ

Pour les finitions : 2 perles noires de 6 mm de diamètre

Nœud utilisé : nœud plat

+ technique

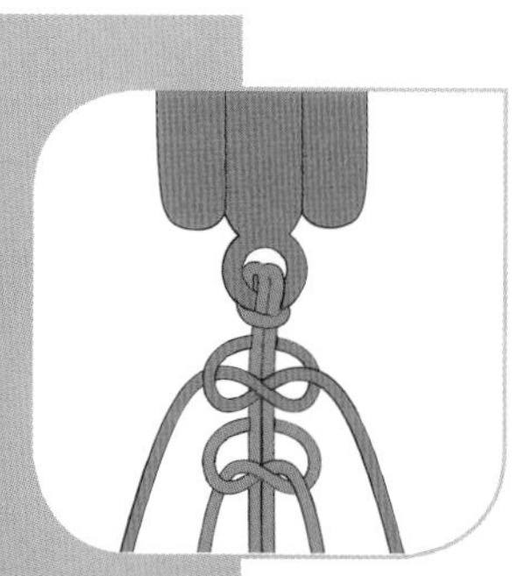

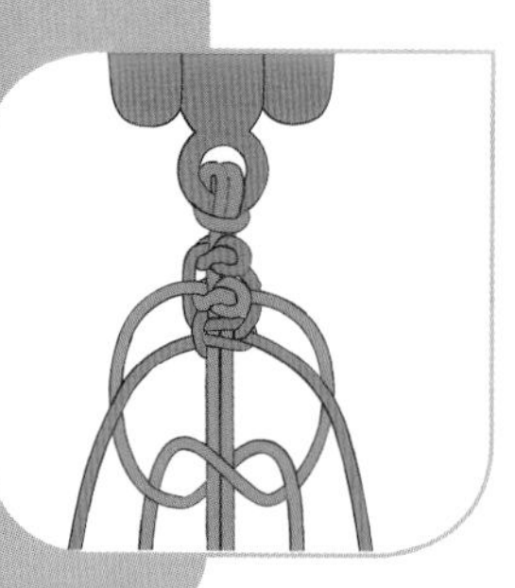

1) Pour les fils fixes, coupez deux fois 40 cm de fil noir. Attachez chaque fil par un nœud tête d'alouette dans chaque anneau en équilibrant ses brins.

2) Pour chaque côté, coupez un brin noir et un brin rouge de 70 cm. Nouez-les sous le nœud tête d'alouette, d'abord le rouge puis le noir.

3) Passez les fils de travail rouges sous les fils de travail noirs, puis réalisez 2 nœuds.

4) Passez les fils de travail noirs sous les fils de travail rouges, puis réalisez 2 nœuds.

5) Répétez les étapes 3 et 4 en terminant par deux nœuds rouges quand la longueur est presque atteinte. Stoppez les fils rouges. Refaites 4 nœuds noirs puis stoppez-les.

6) Réalisez le fermoir en rouge. Enfilez les perles de finitions sur les deux brins fixes en même temps.

Bracelet aux fils croisés

Fil de Nylon tressé de 0,8 mm de diamètre
1 perle centrale en verre de 15 mm de diamètre environ
2 perles à shamballa de 10 mm de diamètre
4 perles de verre rondes de 8 mm de diamètre dont 2 pour les finitions
12 à 14 perles de verre plates de couleurs assorties
Nœud utilisé : nœud plat

+ technique

1) Ce bracelet se travaille sans fil fixe. Coupez environ 1,50 m de fil, pliez-le en deux et faites un nœud provisoire à environ 10 cm de la boucle. Réalisez un premier double-nœud plat complet.

2) Croisez les brins dans la première perle. Réalisez un nouveau nœud plat en inversant son sens par rapport au précédent.

3) Répétez l'étape 2 en plaçant les perles du premier côté, puis la perle centrale, puis les perles du second côté. Terminez par un nœud plat.

4) Défaites le nœud provisoire. Réalisez un fermoir et les finitions comme pour un shamballa classique.

Astuce

Pour empêcher le bracelet de vriller après quelques perles, vous pouvez le fixer sur la jambe de votre pantalon ou sur un coussin avec une épingle de nourrice placée perpendiculairement.

Shamballa chiné

Fil de Nylon tressé de 0,8 mm de diamètre de trois couleurs (ici fuchsia, moutarde et céladon)

1 perle centrale de 15 mm de diamètre environ

2 perles à shamballa de 10 mm de diamètre

10 à 12 perles de verre rondes et plates de couleurs assorties dont 2 pour les finitions

Nœud utilisé : nœud plat

Doublez le fil fixe (2 brins fuchsia) et triplez le fil de travail (1 brin de chaque couleur). Travaillez comme pour un shamballa classique, avec les trois fils en même temps (6 brins en tout), en réalisant 3 nœuds de part et d'autre de chaque perle. Si vous utilisez des perles plates pour les finitions, remportez vous à la page 18.

Shamballa classique

Fil queue-de-rat multicolore de 1,2 mm de diamètre

1 perle fluo de 12 mm de diamètre environ

2 perles à shamballa de 10 mm de diamètre

12 à 16 perles plates fluo de 5 mm de diamètre dont 2 pour les finitions

Nœud utilisé : nœud plat

Jouez sur le nombre de nœuds entre les perles : 10 aux extrémités (nœuds de fixation du fil de travail compris), 4 jusqu'à la perle shamballa, 3 après la perle shamballa, 2 de part et d'autre de la perle centrale. Finissez symétriquement.

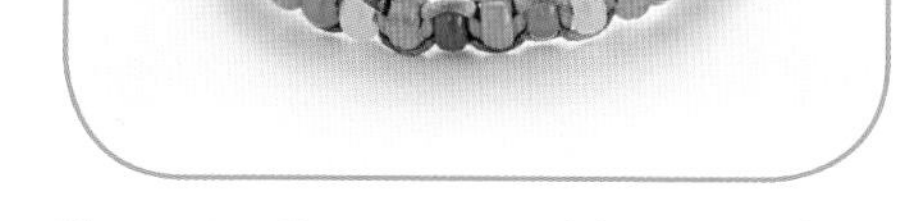

Shamballa aux petites perles

Fil queue-de-rat multicolore de 1,2 mm de diamètre

Environ 40 perles plates fluo de 5 mm de diamètre dont 2 pour les finitions

Nœud utilisé : nœud plat

Enfilez les perles dans l'ordre qui vous plaît : ici les 5 couleurs s'enchaînent à un rythme régulier. Commencez et terminez par 2 nœuds (nœuds de fixation du fil de travail compris) et réalisez un seul nœud entre les perles en inversant le sens de l'un à l'autre.

Astuce

Sur le fil queue-de-rat, toutes les finitions sont collées.

Shamballa au médaillon central

Fil queue-de-rat multicolore de 1,2 mm de diamètre

1 connecteur à deux anneaux de 2 cm de diamètre

Fil et aiguille à coudre

Nœud utilisé : nœud plat

Coupez 2 brins de 20 cm et attachez-les au médaillon en les ligaturant comme expliqué page 17. De part et d'autre, travaillez en nœud plat avec un fil de travail de 75 cm. Faites un nœud en 8 encollé pour les finitions.

Shamballa bleu façon galon perlé

Fil de Nylon tressé de 0,8 mm de diamètre
12 à 15 perles métalliques de 5 mm de diamètre
24 à 30 perles métalliques de 3 mm de diamètre
Nœud utilisé : nœud plat

+ technique

Enfilez uniquement les perles de 5 mm sur le fil fixe. Commencez par 4 nœuds (nœud de fixation du fil de travail compris). Réalisez 2 nœuds après la première perle de 5 mm, enfilez une perle de 3 mm sur chaque brin et refaites 2 nœuds avant la deuxième perle de 5 mm, et ainsi de suite.

Shamballa fin turquoise

Fil de Nylon tressé de 0,8 mm de diamètre
30 à 35 perles métalliques de 3 mm de diamètre (dont 2 pour les finitions)
Nœud utilisé : nœud plat

Commencez et terminez par 4 nœuds (nœuds de fixation du fil de travail compris) et réalisez 2 nœuds entre les perles.

Shamballa aux fleurs

Fil de Nylon tressé de 0,8 mm de diamètre

1 perle à shamballa de 10 mm de diamètre

Perles métalliques de 3 et 5 mm de diamètre

Grosses perles de rocailles

Nœud utilisé : nœud plat

+ technique

Enfilez sur le fil fixe les perles des côtés du bracelet et celle du cœur des fleurs. Commencez par 5 nœuds (nœud de fixation du fil de travail compris), puis séparez les perles par 4 nœuds.

Avant le motif central, placez 2 perles côte à côte comme pour le bracelet façon galon. Pour les pétales des fleurs, enfilez 3 à 5 perles sur chaque brin, puis faites les nœuds après comme d'habitude.

Shamballa sur chaîne strassée

Fil de Nylon tressé de 0,8 mm de diamètre

Environ 15 cm de chaîne strassée (strass de 2 à 5 mm de côté)

Pour les finitions : 2 perles métalliques de 3 mm de diamètre

Colle

Pince à bijoux

Nœud utilisé : nœud plat

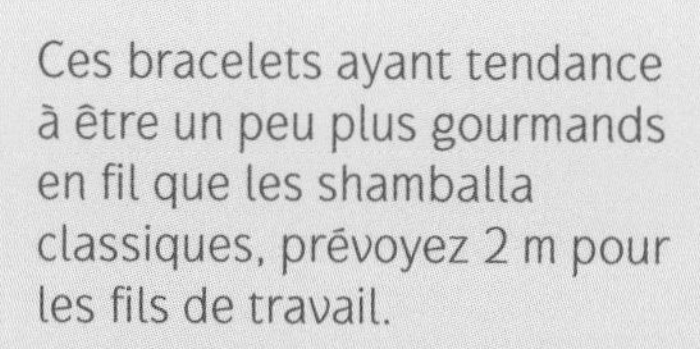

Ces bracelets ayant tendance à être un peu plus gourmands en fil que les shamballa classiques, prévoyez 2 m pour les fils de travail.

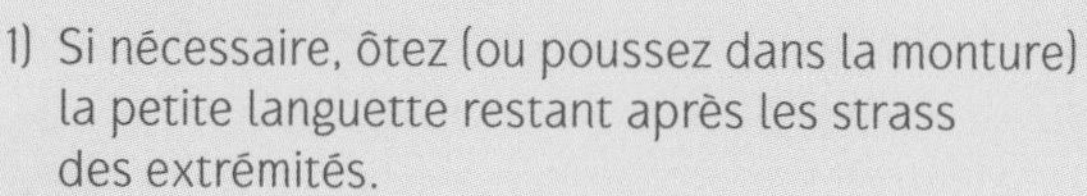

1) Si nécessaire, ôtez (ou poussez dans la monture) la petite languette restant après les strass des extrémités.

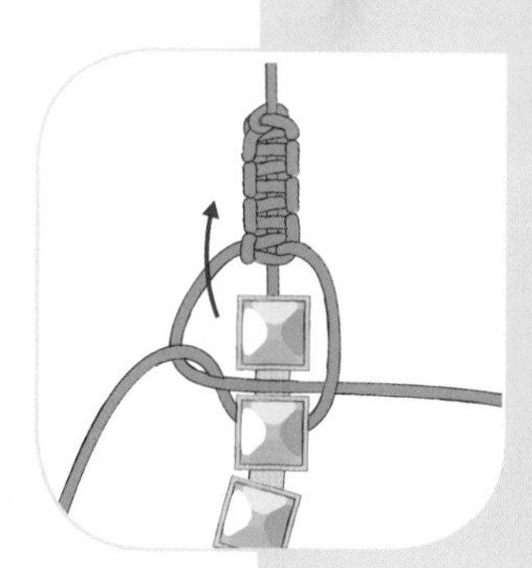

2) Commencez comme d'habitude par 7 à 9 nœuds (nœud de fixation du fil de travail compris), selon la taille des strass. Posez le strass de l'extrémité de la chaîne sur les derniers nœuds et faites un nouveau nœud autour du fil fixe et de la chaîne de façon à ce que celui-ci se place entre le premier et le deuxième strass. Refaites un nœud de la même façon, voire plus selon l'espace entre les strass.

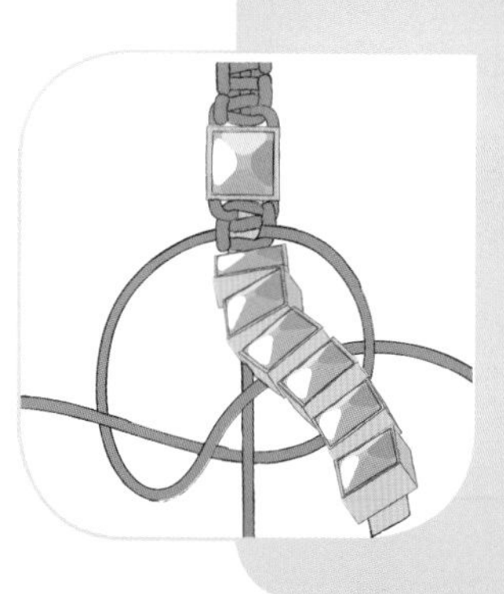

3) Mettez la chaîne de côté et faites maintenant des nœuds uniquement autour du fil fixe pour couvrir la longueur correspondant à un strass.

4) Répétez les étapes 2 et 3, en faisant toujours le même nombre de nœuds sur la chaîne et sous la chaîne. Sous le dernier strass, finissez par le même nombre de nœuds qu'au départ.

5) Réalisez le fermoir et les finitions. Posez un point de colle sous les strass des extrémités pour les plaquer sur les nœuds.

Shamballa gris à 5 perles centrales

Fil de Nylon tressé de 0,8 mm de diamètre

Perles façon corail : 1 de 10 mm et 1 de 5 mm de diamètre

Perles métalliques : 2 plates ouvragées de 8 mm de diamètre et 2 de 3 mm pour les finitions

Nœuds utilisés : nœud torse et nœud plat (fermoir)

Enfilez les perles centrales sur le fil fixe et réalisez chaque côté en travaillant en nœud torse de part et d'autre avec des fils de travail de 90 cm.

Shamballa avec motif central

Fil de Nylon tressé de 0,8 mm

1 estampe de 2,5 cm de diamètre

Pour les finitions : 2 perles de 3 mm de diamètre

Nœuds utilisés : nœud torse et nœud plat (fermoir)

Coupez deux brins de 30 cm environ. Fixez-les de part et d'autre de l'estampe par un nœud de pendu comme expliqué page 18. Travaillez ensuite de part et d'autre comme pour le shamballa à 5 perles.

Shamballa bicolore

Fil de Nylon tressé de 0,8 mm de diamètre de deux couleurs différentes

Perles façon corail : 2 de 8 mm et 2 de 5 mm de diamètre pour les finitions

1 perle façon culture de 10 mm de diamètre

1 perle métallique ouvragée oblongue pour le fermoir

Nœuds utilisés : nœud torse et nœud plat (fermoir)

Prévoyez deux brins de 90 cm pour les fils de travail. Attachez-les provisoirement comme pour le modèle de la page 34 et travaillez comme pour un shamballa classique, mais en nœud torse.
Entre les perles, faites un nombre de nœuds toujours identique de façon à faire un tour complet (ici 6 nœuds). Ornez le fermoir d'une perle (voir page 28).

Bracelet en tissu

Lacet de Liberty : environ 3 m

1 fermoir « T » avec anneau de 1,5 cm

Fil à coudre de couleur assortie et aiguille

Colle

Nœud utilisé : nœud plat

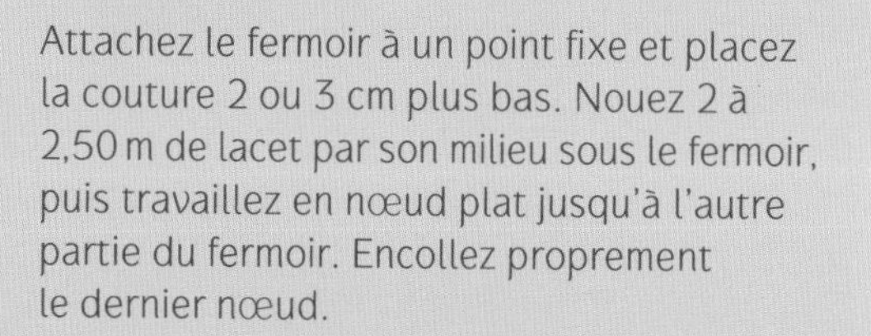

+ technique

Coupez un morceau de lacet au double de la longueur nécessaire pour obtenir un bracelet légèrement lâche, fermoir compris. Enfilez le lacet dans les deux parties du fermoir. Fermez le lacet en anneau par quelques points de couture discrets.

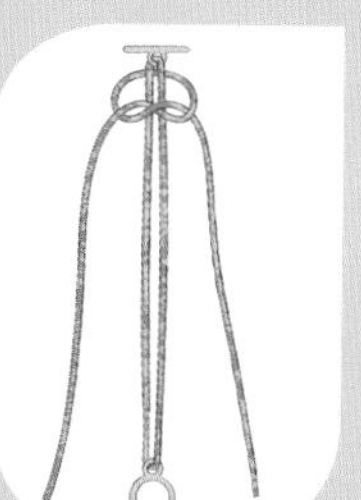

Attachez le fermoir à un point fixe et placez la couture 2 ou 3 cm plus bas. Nouez 2 à 2,50 m de lacet par son milieu sous le fermoir, puis travaillez en nœud plat jusqu'à l'autre partie du fermoir. Encollez proprement le dernier nœud.

Laissez sécher. Recoupez les brins de lacet à ras. Faites quelques points de couture discrets dans l'épaisseur du lacet pour bien l'arrêter.

Shamballa nature

Fil de Nylon tressé de 0,8 mm de diamètre

Environ 30 à 40 perles plates en bois de 5 mm de diamètre dont 2 pour les finitions

Nœud utilisé : nœud plat

Commencez par 2 nœuds (nœud de fixation du fil de travail compris) et réalisez 2 nœuds après chaque perle jusqu'à obtenir la bonne longueur. Rien de plus simple !

Shamballa drapeaux

Fil de Nylon tressé de 0,8 mm de diamètre de trois couleurs différentes (rouge, bleu clair, bleu foncé)

5 perles à shamballa drapeau de 10 mm de diamètre

2 perles métalliques de 3 mm de diamètre

Nœud utilisé : nœud plat

+ technique

1) Doublez le fil fixe, enfilez les perles et attachez un fil de travail comme d'habitude (ici bleu clair). Réalisez 2 nœuds. Écartez les brins et nouez sous les premiers nœuds un second fil de travail de 75 cm (ici bleu foncé). Réalisez 1 nœud avec le nouveau fil.

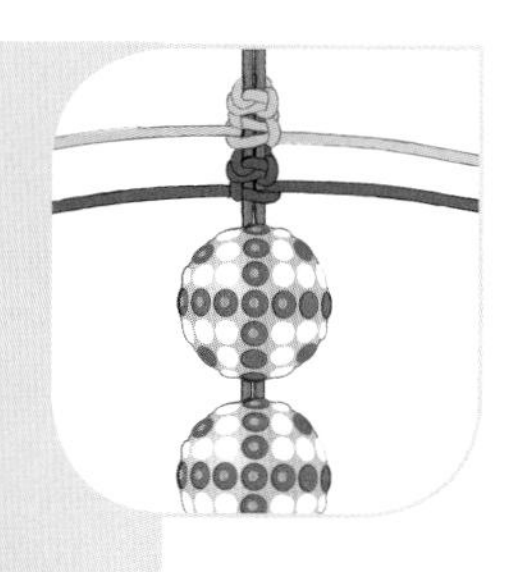

2) Repassez la première couleur au-dessus des brins de la seconde, puis faites 3 nœuds en respectant le sens du nœud plat : si le brin de droite était passé précédemment sous les fils fixes, passez-le dessus et inversement.

3) Passez les fils de la seconde couleur sous les fils de la première et faites 2 nœuds.

4) Répétez les étapes 2 et 3 jusqu'à ce que le premier côté fasse la longueur souhaitée. Arrêtez les fils de la seconde couleur. Avec la première couleur faites 2 nœuds de part et d'autre de toutes les perles.

5 Fixez un nouveau fil de la seconde couleur comme précédemment et finissez le bracelet symétriquement. Utilisez la seconde couleur pour le fermoir.

Collier

1 perle à shamballa drapeau de 10 mm de diamètre

35 à 40 cm de chaîne fine coupés en deux

1 tige à boucle

1 fermoir et 2 anneaux

Pinces à bijoux

Tigez la perle en enfilant une calotte de part et d'autre. Raccordez les morceaux de chaîne par les boucles, puis le fermoir par les anneaux. Pour personnaliser votre bijou, vous pouvez attacher, grâce à un anneau supplémentaire, une petite chute de fil nouée en deux.

Boucles d'oreilles

2 perles à shamballa drapeau de 10 mm de diamètre

2 breloques étoiles

2 perles métalliques de 3 mm de diamètre

2 tiges à boucles

2 attaches de boucles d'oreilles

Pinces à bijoux

Pour chaque boucle d'oreille, glissez l'étoile dans la boucle de la tige. Enfilez les perles, formez une boucle et fixez-y l'attache.

Bracelet à fermoir pendentif

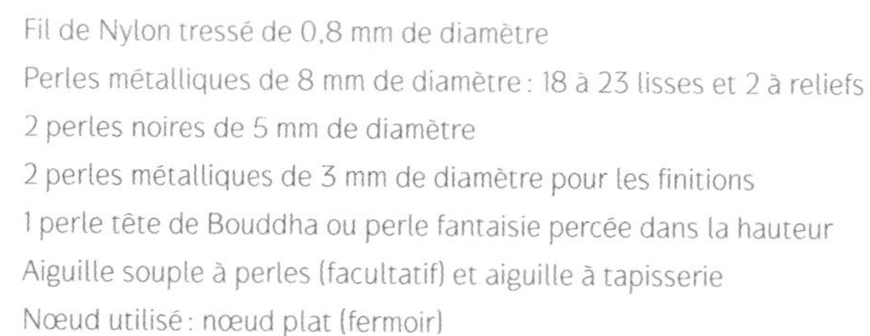

Fil de Nylon tressé de 0,8 mm de diamètre

Perles métalliques de 8 mm de diamètre : 18 à 23 lisses et 2 à reliefs

2 perles noires de 5 mm de diamètre

2 perles métalliques de 3 mm de diamètre pour les finitions

1 perle tête de Bouddha ou perle fantaisie percée dans la hauteur

Aiguille souple à perles (facultatif) et aiguille à tapisserie

Nœud utilisé : nœud plat (fermoir)

+ technique

Coupez 50 cm de fil. Faites un nœud à environ 12 cm. Enfilez les perles du bracelet symétriquement et bloquez par un second nœud. Vous pouvez vous aider d'une aiguille pour le placer, mais laissez un peu de jeu entre les perles pour que le bracelet s'arrondisse harmonieusement.

Réunissez les deux brins et enfilez la perle tête.

Sur les deux brins orientés dans le même sens, réalisez un fermoir en nœud plat en travaillant vers le bracelet. Arrêtez les brins. Remontez le fermoir en écartant les brins.

Faites les finitions comme d'habitude.

Bagues

Fil de Nylon tressé de 0,8 mm de diamètre

1 perle métallique de 8 mm de diamètre, plus éventuellement 2 plus petites

Nœud utilisé : nœud plat

Compte tenu du modèle, travaillez sans support ou adaptez sa taille. Pour faire les nœuds facilement, évitez les fils trop courts : environ 20 cm pour le fil fixe et 60 cm pour le fil de travail. Procédez comme pour un bracelet en centrant la ou les perles. Stoppez les fils de travail. Pour fermer la bague, faites 3 nœuds plats avec les fils fixes (voir page 42), puis stoppez-les.

Collier

Fil de Nylon tressé de 0,8 mm de diamètre

Perles à shamballa : 4 de 10 mm et 3 de 12 mm de diamètre

20 perles plates en verre de 8 mm de diamètre

10 perles métalliques cylindriques à facettes de 8 mm de longueur

20 perles métalliques cylindriques lisses de 5 mm de longueur, dont 2 pour les finitions

20 perles métalliques rondes de 3 mm de diamètre, dont 4 pour les finitions

Aiguille souple à perles (facultatif)

Nœuds utilisés : nœud torse pour les côtés et nœud plat pour le fermoir

Coupez environ 1 m de fil. Au centre, en vous aidant de la photographie, enfilez les perles selon un rythme régulier.

De part et d'autre, nouez un fil de travail de 1,20 m. Travaillez en nœud torse sur 9 cm environ. Si vous souhaitez travailler sur un support, fixez directement le bijou sur une table avec du scotch de peintre.

Réalisez le fermoir et les finitions comme pour un shamballa classique.

La liste des perles utilisées permet de réaliser un enfilage central de 40 cm de longueur. Elle est présentée à titre indicatif et peut être remplacée par un autre assortiment de perles.

Boucles d'oreilles

2 perles à shamballa de 10 mm de diamètre

2 perles plates de 8 mm de diamètre

4 calottes

2 tiges à tête et 2 tiges à boucles

2 attaches de boucles d'oreilles

Pinces à bijoux

Pour chaque boucle, montez la perle à shamballa sur une tige à tête, en plaçant une calotte avant et après. Montez les autres perles sur les tiges restantes. Raccordez les segments par les boucles, puis l'ensemble à l'attache de la même façon.

Shamballa immaculé

Fil de Nylon tressé de 0,8 mm de diamètre

Perles à shamballa : 3 de 10 mm de diamètre

Perles façon culture : 6 de 8 mm + 2 de 3 mm pour les finitions

Perles métalliques argentées à reliefs : 2 de 10 mm de diamètre, 2 de 5 mm + 2 pour les finitions

Perles métalliques argentées lisses : 2 de 3 mm pour les finitions

Nœud utilisé : nœud plat

Le raffinement de ce bracelet tient à l'alternance régulière de perles de matières et de tailles légèrement différentes séparées par 4 nœuds. Il commence et se termine par 2 nœuds, y compris le nœud de fixation et une perle de 5 mm. Les finitions comportent 3 petites perles coordonnées au bracelet. Ce type de modèle peut être réalisé avec toutes sortes de perles en choisissant de préférence 3 variétés principales.

Shamballa Rainbow

Fil de Nylon tressé de 0,8 mm de diamètre

Perles à shamballa : 7 de 6 mm de couleurs dégradées

Perles métalliques argentées lisses : 2 de 3 mm de diamètre pour les finitions

Nœud utilisé : nœud plat

Centrez les perles à shamballa en les séparant par 2 nœuds.

Shamballa rose

Fil de Nylon tressé de 0,8 mm de diamètre

Perles à shamballa : 1 de 10 mm et 2 de 8 mm de diamètre

Perles métalliques argentées à reliefs : 2 de 5 mm de diamètre

Perles métalliques argentées lisses : 2 de 3 mm de diamètre pour les finitions

Nœud utilisé : nœud plat

Centrez les perles en les séparant par 4 nœuds.

Shamballa à 7 perles + 2

Fil de Nylon tressé de 0,8 mm de diamètre
Perles à shamballa : 7 de 10 mm de diamètre
Perles métalliques : 2 de 5 mm de diamètre
2 petites perles de 3 mm de diamètre pour les finitions
Nœud utilisé : nœud plat

Les perles centrales sont séparées par 3 nœuds. Les perles métalliques plus petites de part et d'autre de la série de perles à shamballa apportent de la finesse à ce bijou.

Shamballa à 7 perles + 6

Fil de Nylon tressé de 0,8 mm de diamètre
Perles à shamballa : 7 de 10 mm de diamètre
Perles métalliques : 2 de 5 mm de diamètre
2 petites perles de 3 mm de diamètre pour les finitions
Nœud utilisé : nœud plat

Ce bracelet se réalise selon le même principe que celui expliqué ci-dessus. Cette fois-ci, 3 perles métalliques sont placées de part et d'autre des perles du centre.

Shamballa à 9 perles + 2

Fil de Nylon tressé de 0,8 mm de diamètre
Perles à shamballa : 3 de 10 mm de diamètre
Perles métalliques de 10 mm de diamètre : 2 argentées à reliefs, 4 lisses
Perles métalliques de 5 mm de diamètre : 4 dont 2 pour les finitions
1 perle métallique carrée de 4 mm de diamètre pour le fermoir
Nœud utilisé : nœud plat

Pour une création à la hauteur des bracelets shamballa de joaillier, choisissez un camaïeu en jouant sur les matières, placez des perles plus petites de part et d'autre, et ajoutez une perle au centre du fermoir (voir page 28).